KB171905

하지만 나는
오늘도 세상이 무섭다

하지만 나는 오늘도 세상이 무섭다

발 행 ┃ 2023-11-30
저 자 ┃ 남소형
펴낸이 ┃ 한건희
펴낸곳 ┃ 주식회사 부크크
출판사등록 ┃ 2014.07.15(제2014-16호)
주 소 ┃ 서울 금천구 가산디지털1로 119, A동 305호
전 화 ┃ 1670 - 8316
이메일 ┃ info@bookk.co.kr

ISBN ┃ 979-11-410-5648-3

www.bookk.co.kr

하지만 나는 오늘도 세상이 무섭다

남소형 에세이

'세상이 무서운 어른들에게 위로가 되어줄 책'

차례

오늘도 세상이 무서운 나

오늘도 세상이 무서운 나

남소형

  내 나이 서른 살, 나는 아직도 세상이 무섭다.
세상이 무섭지 않은 나이여야 하는데, 세상에서 무언가 이뤘어야 하는 나이인데, 하지만 나는 아직도 세상이 무섭기만 하다. 나는 이 두려움을 극복할 수 있을까?

  나는 지금 갈림길에 서있다. 직장을 새로 다시 구해서 다닐 것인가 내가 하고 싶은 일을 찾아 사업을 해나갈 것인가 내가 선택을 하지 못하는 이유는 두 가지 다 두렵기 때문이다. 직장을 다니자니 좋은 직장을 구할 수 있을까 내가 또 그만두지는 않을까 도망치지는 않을까 여러 생각이 들어 두렵고 사업은 해보지 않았던 것이다 보니 하다가 돈이 없을 것 같고 실패할 것만 같은 생각이 들기 때문이다.

  이렇게 나의 생각이 두려움을 만들고 그 두려움은 계속

커져 선택하지 못하게 만들고 나를 움직이지 못하게 만들고 나를 우울한 감정의 길로 계속해서 인도해나간다. 나는 지금껏 그렇게 살아왔다.

내가 이 책을 쓰게 된 이유는 이러한 두려움들이 있지만 독자들과 함께 극복해 나가고 이겨나가고 싶은 마음에서 쓰게 되었다. 누구든지 두려워 할 수 있고 그로 인해 하던 일을 멈출 수도 있고 쉬어갈 수도 있다는 말을 전하고 싶어서이다. 도망치고 싶을 땐 언제든지 도망쳐도 된다. 하지만 포기만은 하지 말자 너무 두려워 모든 것을 끝내고 싶다고 해도 끝내려고만 하지 말자 다시 언제든 돌아와서 다시 부딪혀보고 시도해보자 우리는 할 수 있는 사람들이다.

나는 비정상일까?

어린 시절 나와 함께한 우울증

우울증은 마음의 감기이자 누구에게나 찾아올 수 있는 병이라고 한다. 하지만 사회공포증은 우울증과는 다르다 사람이 무서운 병이고 어른이 되어 생긴 사회공포증은 치료하는데 시간이 오래 걸린다고 한다. 나는 두 가지 병을 가지고 있고 나의 병은 완치되지 않았다. 지금도 현재진행중이다.

나는 중학교 1학년 때부터 우울증을 앓았다. 또래보다 감수성이 풍부했던 나는 계절에 따라 감정도 다르게 느꼈고 노래를 들으면 그 감정을 오롯이 느낄 정도로 섬세했고 상상력이 많은 평범한 소녀였다.

아주 어릴 적, 나는 부모님의 잦은 다툼에 항상 눈치를 보며 자랐었는데 그것이 몸에 밴 습관이 된 것인지 나는 항상 눈치를 보았고, 부모님께 잘 보이고 싶었던 나는 미움 받는 것이 죽도록 싫었다. 하지만 덜렁대고 실수가 많던 나는 항상 잔소리와 꾸중을 들었다. 그런 내 자신이 나는 항상 싫었다.

　나는 어른들이 무서웠다. 왠지 모르게 부모님처럼 항상 덜렁대고 실수만 하는 나를 미워할 것 같았다. 초등학교 때 한 일화가 기억이 난다. 어느 날 어머니께서 스승의 날에 담임 선생님 가져다 드리라고 카네이션을 생화로 사주셨던 게 기억이 난다. 카네이션을 드리기만 하면 되는 일이니 어떻게 보면 어렵지 않은 일이라고 할 수 있겠다. 하지만 나는 카네이션을 받았을 때부터 부담이 되었고 나는 오만가지 생각에 빠졌다. '선생님과 나는 친한 사이도 아닌데 이걸 어떻게 가져다드리지?' '선생님이 싫어하시면 어떡하지 안 받으시면 어떡하지?'라고 말이다. 수업시간 내내 이걸 어떻게 드려야하나 고민을 하다 하교 시간이 되었고 나는 그 꽃을 그대로 집에 들고 올 수 밖에 없었다.

하지만 그 카네이션을 보면 어머니께서는 왜 선생님께 드리지 않았냐고 화를 낼 것이기에 나는 꽃을 드리지 않은 걸 들키게 될까봐 쓰레기통에 꽃을 버리지도 못하고 옷장 안에 옷 속에 숨겨두었다가 다음날 학교 갈 때 울면서 몰래 밖에 버렸던 기억이 있다.

어머니께서 선생님에게 꽃을 잘 가져다 드렸냐고 물었을 때, 나는 거짓말을 할 수 밖에 없었고 솔직하게 말도 못하고 몰래 꽃을 버린 나는 꽃을 바라보며 스스로에게 실망하였고 하염없이 울었던 기억이 난다. 하지만 나는 몇 년 후에 피아노 학원을 다닐 때에도 어머니께서 선생님에게 드리라고 사주신 목걸이를 같은 이유로 드리지 못하고 방에 있는 작은 서랍에 몰래 몇 년간 숨겨두었다가 몰래 버리게 되었는데, 그 목걸이를 볼 때마다 목걸이 하나도 못 갖다드린 나를 비난하게 되었다.

나는 그렇게 다른 사람의 반응이 항상 무서웠고 두려웠다. 그래서 나는 행동하지 못했다. 그리고 내가 무서워서 행동하지 못했던 것을 눈치챌까봐 변명과 거짓말이 일상이 되었다.

지금 생각해보면 그게 그렇게 어려운 일이었을까 생각한다. 다시 그 시간으로 되돌아간다면, 나는 다른 선택을 했을까 생각해보게 된다. 누구에게나 어려운 선택들이 있다. 그것은 다 저마다 다르다. 나는 사람을 만나서는 이야기를 잘하지만 만나기까지 연락하기까지 어려움을 겪는다. 하지만 누군가는 연락하고 만나기까지는 쉽지만 만나면 무슨 이야기를 해야 할지 몰라 두려움을 갖고 있을 수도 있다.

　　어른이라고 무섭지 않은 것은 아니다. 시간이 흐르면 몸은 어른이 되지만 속에 있는 나는 그대로 아이의 모습으로 자라나지 않았을 수도 있다. 내가 어린 시절을 돌아보게 된 것도 내가 현재 가지고 있는 두려움의 원인이 있을까 하는 마음에서이지 왜 그랬을까 스스로를 질책하기 위함이 아니다. 스스로를 돌아보되 부족했던 부분을 찾는다면 그럴 수도 있었겠구나 생각해주자 왜 그랬냐며 질책하지 말자 내가 나의 하나뿐인 편이 되어주어야 한다.

미움 받기 싫었던 아이

　유독 집에서도 튀는 아이가 있다. 내가 바로 그런 아이였다. 나는 언니와 여동생 사이에서 둘째로 유독 부모님께 사랑받고 싶은 마음이 컸었는데 그런 모습이 튀는 아이로 보였던 것 같다. 부모님께서 심부름을 시키시거나 집안일을 시키실 때에는 예쁨 받고 싶은 마음에 나서서 했었는데 그게 항상 좋은 결과를 낳지만은 못했다. 심부름을 시키면 가는 길에 어머니께서 주신 돈을 잃어버리곤 했고 설거지를 하면 그릇을 깨고 구두를 닦으면 구두가 더 더러워졌다.

　그러다보니 내가 나서서 무엇을 한다고 해도 나를 시키려고 하지 않았다. 어린 시절 이런 경험들이 작지만 쌓여 내 생각 속에 나는 무엇이든 하면 안 되는 아이, 실패하는 아이라고 생각하게 되었던 것 같다.

이렇게 혼자만의 생각에 빠져들게 되면 한없이 부정적이게 된다. 어린 시절의 생각은 누가 잡아주지 않으면 더 왜곡되게 생각이 빠지게 되는 것 같다. 이럴 때 누군가 대화할 상대가 있었다면 내가 계속 우울과 부정적인 감정에 빠지지 않게 되지 않았을까 하는 생각도 든다. 하지만 어린 시절 나에게는 대화 상대가 없었다.

유명한 양파 실험이 있다 한쪽의 양파에게는 좋은 말만 해주고 다른 양파에게는 욕설과 부정적인 말만 하고 이후 경과를 지켜본다. 어떤 양파가 더 잘 자랐을지는 모두가 그 결과를 알고 있을 것이다. 나는 나에게 항상 부정적인 말만 했었는데 그렇게 계속 하다가는 그 양파처럼 언젠가는 내가 정말 양파처럼 썩어버리거나 죽을 것만 같았다.

그래서 나는 누군가와 내 깊은 속마음에 대해서 대화하고 싶었지만 대화할 상대가 없었던 나는 어느 순간부터 벽이랑 대화하기 시작했다. 하지만 벽은 내가 인사를 해도 말을 걸어도 울고 있어도 차갑기만 했고 대답은 돌아오지 않았다.

더 이상 벽이랑은 대화가 어렵다고 느꼈던 나의 눈에 보인 것이 언니가 가지고 있던 장식으로 놔둔 귀여운 곰 인형이었는데, 노란색을 띈 그 곰인형을 안았을 때는 너무 포근하고 따뜻한 느낌을 받아서 나는 '그래 이거야!' 하면서 곰인형과 대화하기 시작했다. 그 대화는 주로 상황극이었다.

나는 내가 나에게 하는 말들이 '나는 실패자야' '나는 아무것도 못할 거야' 등의 부정적인 말들이었기에 긍정적인 말을 해주는 존재가 필요했다. 그래서 나는 부정적인 말을 먼저 내뱉으면 곰인형을 안으며 '아니야 너는 좋은 사람이야' 하며 긍정적인 말을 해주곤 했다. 그것이 정말 별거 아닌 것 같지만 도움이 참 많이 되었고 위로가 되었다.

어찌 보면 곰인형과 대화를 하는 것은 혼자만의 대화일 것이다. 하지만 사람에게 말하기는 무서워도 곰인형은 무섭지 않고 무해한 존재라고 느껴졌고 그 대화가 정말 위로가 많이 되었다. 지금도 밖에 있다가 집에 오면 그 노란색 곰돌이에게 잘 다녀왔다고 말은 건네곤 한다.

그 인형이 나에게는 정말 하나뿐인 친구가 된 것이다. 어떻게 보면 나는 곰인형과 대화를 해서라도 부정적인 생각에서 벗어나고 긍정적인 생각을 하고 싶었던 것 같다.

주변에서 부정적인 말을 많이 듣는 상황이 있는가? 그러면 나도 모르게 부정적 생각에 잠식되게 되는데 그럴 때일수록 스스로에게 긍정적인 말을 많이 해주자. 긍정적인 생각과 말을 하기가 어렵다면 핸드폰 배경화면도 좋고, 방 안에 잘 보이는 곳에 긍정적인 말들을 적어서 붙여놓는 것도 도움이 많이 된다. 가족이, 친구가 나에게 칭찬을 해주지 않더라도 내가 내 스스로에게 먼저 해주면 되는 것이다. 하지만 반대로 아무리 주변에서 칭찬을 해주고 긍정적인 말을 해주더라도 내가 받아들이지 못하고 스스로에게 그런 말을 해주지 못한다면 소용이 없을 것이다.

사회공포증 그 시작

　어렸던 나는 인터넷을 통해 내 증상에 대해 찾아보기 시작했고 우울증 테스트를 해 본 나는 그저 눈물이 많은 아이가 아니었고 우울증이 있는 아이라는 것을 알게 되었다. 그런 내가 사회공포증도 있다는 것을 알게 되었던 때가 있다.

　평범한 중학교 고등학교 6년의 시간을 보내고 내가 대학생이 되었을 때였다. 나는 대학에 진학하고 싶지 않았지만 부모님의 뜻대로 성적에 맞추어 대학에 입학하게 되었다. 세상을 살아가는데 있어 고등학교는 나와야 된다는 생각이 들어 참고 학교를 다녔지만 대학교는 선택사항이기 때문에 조금 다르게 나에게는 와 닿았다.

하지만 대학을 안 나오신 부모님은 자식이 꼭 어느 대학이든 들어가서 졸업장을 받기를 바라셨고 나는 그 뜻에 거스를 순 없었다. 대학에 입학한 나는 처음 대학생활부터 삐걱거렸다. 대학에서는 내가 학교를 안 나가도 뭐라 할 사람이 없었기 때문에 학교에 가는 것이 두려워서 회피하고 반복적인 거짓말을 하게 되었다.

대학교를 다니면서 나에게 망상이 생기게 되었는데 사람들이 나를 촌스럽다고 욕할 것 같다는 생각이었다. 실제로 중학생 때 같이 다니던 친구들이 뒤에서 내가 촌스러워서 같이 못 다닐 것 같다고 이야기를 한 것을 듣게 되었었던 기억이 다시금 떠올라 나를 계속 힘들게 만들곤 했다. 그러다보니 대학교를 가면 꾸미기 좋아하는 여자 신입생들이 예쁘게 입고 다니는 것이 내 눈에 항상 보였고 그들을 보며 내 차림새와 항상 비교를 하게 되었다. 실제로 나는 돈도 없고 항상 옷을 물려 입었었는데 그런 내 모습이 유행하는 옷도 못 입고 뒤처지는 것처럼 혼자만의 망상에 빠진 것이다.

그런데 그런 혼자만의 생각이 점점 커져 사람들이 나를 욕하는 것 같고 다 나를 쳐다보는 것 같은 시선 공포와 사회공포증이 시작되었다. 이때는 심각해서 공황장애까지 오게 되었는데 그래서 학교를 차마 다닐 수가 없었다. 처음에는 학교를 가서 강의실을 못 들어가는 것을 시작으로 그 다음날에는 본과 건물을 들어가지 못하고 그 다음날에는 학교 입구까지 무서워 들어가지 못했다. 그래도 용기내서 학교를 가봐야지 하고 버스를 타고 내리면 학교 입구에서 쏟아져 나오는 사람들을 보며 너무 무서워서 혼자 학교를 빙빙 돌며 울다가 다시 버스를 타고 집에 갔던 것이 생각이 난다.

　어느 순간부터 학교 앞에 도착해도 학교 입구를 들어가지 못하는 것이 더욱 심해지게 되었는데 여기에는 나에게 또 하나의 망상적 사고가 있었기 때문이다. 학교 건물 앞에 서면 그 건물이 나에게 쏟아져 그 안에 내가 깔려 죽는 것 같은 망상이었다.

그럴 때는 숨이 잘 안 쉬어지고 손에 한없이 땀이 찼으며 다리가 후들거렸다. 그런 신체적 증상을 겪을 때마다 나 자신이 한심스럽고 몹시도 내 자신이 싫었으며 죽고 싶었고 내가 앞으로 어떻게 해야 할까 라는 생각밖에 들지 않았다. 나는 그것을 또 인터넷으로 혼자 찾아보며 공황장애라는 것을 알게 되었다.

학교에 가지 못한 날에는 집에 바로 들어가면 집에서는 왜 이렇게 일찍 돌아왔냐고 물을 것이기에 나는 연기를 하며 웃으며 학교 잘 다녀왔다고 거짓말을 했고 그 거짓말이 나의 양심을 속이는 일이었기에 나는 또 슬펐고 다음날에 학교에 어떻게 가야할지 너무나도 무서웠다.

하지만 두려움은 계속 두려움을 낳아 그 무섭고 두려운 것이 점점 더 커져 이후에는 버스도 못 타게 되었다. 그때는 또 버스정류장 앞에서 버스도 못타는 나를 비정상인이라고 여기며 한없이 울다가 또 집에는 빨리 들어갈 수 없으니 집 근처를 빙빙 돌다가 시간을 보내고 들어갔던 기억이 있다.

내가 생각하는 두려움은 내가 불안함을 느끼고 두렵다고 생각할수록 더 커질 뿐이지 줄어든 적은 없는 것 같다. 그래서 두려움은 말 그 자체로 무섭고 두려우며 계속해서 그 감정을 낳는다.

그렇기에 내가 생각하는 두려움을 이겨내는 방법은 두려울 때 두렵지 않다고 생각하는 것이 아니다. 두려움 자체를 생각하지 않는 것이다. 불안하고 두려워서 손이 떨리고 심장이 뛸 때, '내가 또 이렇구나 안 좋구나' 생각하면 증상은 더 나아지지 않는다. 생각을 다른 곳으로 돌려야하고 생각이 나지 않게 다른 일을 하는 것이 가장 좋다. 두려운 상황에 직면했을 때 잠시만 다른 생각을 해보는 것이 나는 도움이 되었던 것 같다. 하지만 그 상황으로부터, 장소로부터 도망쳐서는 안 된다. 그러면 두려움이 더 커져 역효과가 날 수 있으므로 가만히 서서 심호흡도 해보고 명상도 해보며 생각을 다른 곳으로 돌려보자. 정말 작은 행동이지만 도움이 될 것이다.

내가 병원에 가지 못한 이유

　이렇게 상태가 좋지 않았던 내가 왜 병원에 가지 않았을까? 그건 병원에 가고 싶다는 말을 할 수 없는 사회적 분위기와 더불어 집안의 환경 때문 이었다. 항상 착한 아이로 가면을 쓰고 살았던 나는 어디가 아프다고 말을 할 수 없었고 내가 이야기를 하고 나서의 부모님의 반응이 예상되었기 때문이었다. 무슨 소리 하는 것이냐며 모르는 척 할 것 같은 부모님의 모습이 상상되어 두려웠고 또 하나 사회적 분위기로 쉬쉬하는 분위기 때문이었다고 할 수 있다.

　지금의 시대는 많이 달라진 것 같다고 느끼지만 내가 아팠던 그 당시에는 정신병이라는 이유로 더욱 숨기고 살 수 밖에 없는 그러한 사회적 분위기였던 것으로 기억한다.

하지만 대학교에 가는 것이 너무도 고통스러웠던 나는 이대로는 안 되겠다 정말 생각이 들어 한달 동안을 어떻게 부모님께 말씀드릴지 고민했고 어머니에게 말을 했었다. 어머니에게 "저 학교가 무서워서 학교를 못 다니겠어요! 저 우울증도 있는 것 같고 인터넷 찾아보니 사회공포증이래요." 라고 말을 꺼냈을 때 어머니의 반응은 지금도 생생하다. 어머니는 충격을 받으시며 어떻게 내 자식이 그런 병에 걸릴 수 있느냐하고 뒷목을 잡으셨고 병원이라니 그럴 수 없다고 하셨던 기억이 말이다.

그래도 나는 병원에 가야겠다는 생각이 들어 어머니를 설득하려고 했지만 설득이 되지 않았고 평소처럼 일요일에 교회에 갔을 때에는 어머니께서 나의 이야기가 고민이 너무 되었는지 집사님들에게 다 이야기를 해서 집사님들이 나에게 괜찮냐고 말을 걸며 불쌍하게 여겼던 그 눈빛이 아직도 기억이 난다. 나는 그 때 그러한 동정의 눈을 받으며 죽고 싶다고 생각하며 다시는 그 누구와도 이 병을 상의할 수 없겠구나 생각했다.

그래서 나는 그 때부터 병원에 가지 못하고 심리학책을 읽기 시작했고 매일 인터넷에 들어가 검색을 하면서 어떻게든 해봐야지 했었던 기억이 난다. 그렇게 보면 나는 삶의 의지가 강했던 것 같다.

　　하지만 나는 결국 대학교를 끝까지 다니지 못하고 학교를 그만두게 되었다. 학교를 그만두고 나서는 돈을 벌었어야 했는데 사람을 무서워하고 세상을 무서워하는 내가 어떻게 세상에 나가서 돈을 벌까 정말 무서운 일이 아닐 수 없었다.

　　지금 내가 마음의 어딘가가 아프다고 느껴진다면 아니면 주위로부터 병원을 가보면 어떻겠냐는 이야기를 듣는다면 병원을 바로 가보기를 권하고 싶다. 우리는 신체 중 어디가 아프면 바로 병원을 가봐야겠다고 생각을 하는데 마음은 보이지 않아서 그런 것인지 생채기가 나있고 다쳐있는데도 '좀 지나면 괜찮아지겠지.'라고 생각하는 경향이 있는 것 같다. 하지만 마음의 병도 병이기 때문에 꼭 놔두지 말고 더 안 좋아지기 전에 치료하고 주변에 도움을 줄 수 있는 사람을 찾아 함께 치료하고 극복해 나가길 바란다.

그럼에도 세상을 살아야 한다

무서웠던 세상살이

　그래도 세상을 살기로 한 이상 나는 이제 경제활동을 시작할 수밖에 없었다. 한동안은 집에 있었는데 부모님 눈에는 그것이 한심스러워 보였던지 눈치가 보여 항상 나는 힘들지만 밖에 나와 있었다. 하지만 할 일도 없는데 굳이 카페를 가서 커피를 마시고 멀리 걸어 나가 공원을 산책하고 도서관을 다니며 시간을 때우고 집에 들어가는 것도 지겨웠다. 고민 끝에 나는 언니에게 물어봐서 어떻게 알바를 구하는지 알아보고 이력서를 작성했다. 일주일을 고민하며 지원서를 두어 개를 넣고 면접을 보러 오라는 연락을 받았다. 이때까지는 괜찮았지만 면접을 본다고 신경 써서 옷매무새를 다듬고 시간에 맞춰 면접 장소에 도착하면 그때부터 또 숨이 쉬어지지 않았고 면접 장소를 빙빙 돌았기 때문에 그럴 때마다 내 스스로가 너무 한심스러워서 울면서 다시 집에 돌아오곤 했다.

하지만 나는 포기하지 않았다. 나는 더 이상 학교도 다니지 않고 돈을 벌기로 했으므로 5번의 도전 끝에 마지막 지원했던 카페에 들어가서 면접을 보게 되었고 나는 알바 합격 통보를 받았다. 나는 카페에 지원하게 되었는데 내가 지원한 곳은 굉장히 바쁘고 손님이 많은 카페였다. 나는 처음 아르바이트를 한다는 것도, 많은 사람들과 부딪히며 일한다는 것도 많은 걱정이 되었지만 거기서 일하면 나의 사회공포증이 나아질 것이라는 생각 때문에 무섭지만 도망치지 않기로 했다.

실제로 출근하는 것은 매일 두렵고 힘들었지만 문을 열고 들어서면 일이 너무 바빠서 잊어버릴 수 있었고 손님이 너무 많았기에 일만 하다가 끝나는 경우도 많았다. 일을 하며 느꼈던 것은 '사람들이 정말 커피만 받고 가는구나' '일하는 나에게는 신경을 쓰지 않는 구나'였다. 그렇게 아르바이트를 하는 것이 나의 사회공포증 해소에 점점 도움이 되었다.

하지만 나이를 먹고 보니 계속 아르바이트만 할 수는 없는 노릇이었다. 자연스럽게 나이를 먹으니 집에서는 취직을 하길 바랐고 나는 또 다시 생각에 늪에 빠졌다.

아르바이트도 어렵고 힘들게 시작했는데 또 한 단계를 올라가는 것처럼 직장을 다녀야 한다니 너무도 고민이 되고 생각만으로도 힘이 들었다.

매일을 고민하다가 정부에서 취업관련 지원 사업이 많다는 것을 알게 되었다. 두려움 끝에 지원하게 되었고 취업관련 교육을 나가고 교육을 이수 하게 된 후 자연스럽게 나는 정부의 지원으로 연결해주는 회사에 입사를 하게 되었다.

아르바이트를 그만두고 취업까지 내가 생각했던 것과 달리 일사천리로 하게 되었다. 나는 내가 무엇을 잘하는지 무엇을 하고 싶은지 몰랐기에 그냥 정해주는 대로 하게 되었다. 그러나 아르바이트와 취업은 다른 이야기였다. 매일 같은 사람들과 부딪히며 업무를 했어야했고 회사에서 막내였던 나는 여러 가지 업무를 했어야 했어야 했다. 그런데 그 중에는 매일 전화를 걸고 전화를 받는 업무도 있었는데 나는 얼굴도 모르는 사람들과 매일 통화하는 것이 너무나 무섭고 힘들었다. 그렇게 나는 이런 저런 것들이 쌓이고 쌓여 마음에 부담이 되었고 매일 아침 회사에 출근하는 것이 너무나 두려워졌다.

매일 아침 알람에 맞춰 눈이 떠졌지만 두려움에 몸이 잘 움직이지 않았다. 출근해서 어떤 일을 할지 나도 모르게 계속 상상이 되었기 때문에 두려움은 점점 쌓여 나를 압박하기 시작했다.

어른이 되어 사회에 나간다는 것만큼 무서운 일은 없는 것 같다. 누구나 처음 겪는 일이기 때문일 것이다. 하고 싶은 일이 있고 가고 싶은 직장이 있는데 그게 이루어진다면 그것만큼 설레는 일은 없겠지만 내가 무엇을 하고 싶은지도 어느 직장에 들어가고 싶은지도 모르는 상태에서 취업한다면 그것만큼 힘든 것은 또 없을 것 같다. 집안의 압박에 못 이겨 원하지도 않는 곳에 들어가거나 일을 해야 했던 경험이 있는가? 그런 환경 속에서 벗어난다는 것은 어렵겠지만 그래도 내가 무엇을 원하는지, 하고 싶은 일은 무엇인지, 내가 잘하는 것은 무엇인지 꼭 시간을 내서 생각해보고 찾아보길 바란다. 안 그래도 힘든 직장생활. 두렵고 무서운 일, 힘든 일들을 매일 어렵게 힘들게 하며 살아갈 수는 없다. 사람은 누구나 무섭고 힘든 일은 하기 싫어한다.

그럼에도 일은 할 수밖에 없다

나는 회사생활을 더 이상 버티지 못했고 견디지 못했고 결국 퇴사하게 되었다. 나는 퇴사를 할 때도 그만두겠다고 이야기를 하는 것이 너무도 어렵고 무서웠다. 내가 그래도 일을 하면서 인정받고 칭찬받을 때도 있었는데 그 기대와 이야기들을 다 무시한 채 퇴사를 하려는 것이 회사에 피해를 주는 일인 것만 같았다. 결국 퇴사를 생각하고 말을 하는 데까지 3개월이 걸렸다.

퇴사 후 그렇게 하루하루를 그저 살았는데 회사를 다니면서 자취를 시작했던 나는 매달 들어오는 월급이 없어지자 경제적으로 힘들어지게 되었다. 내일 무언가를 사먹을 돈도 밥을 해먹을 돈도 없어졌다. 너무 두렵지만 돈을 벌기 위해 무슨 일이든 다시 시작을 해야 했다.

나는 다른 일할 곳을 찾아 하루빨리 지원을 했어야했는데 혹시나 이 좁은 지역에서 전의 회사 사람들을 혹여나 마주치지 않을까하는 두려움에 사로잡혔다.

　　나는 생각해보면 가장 나를 힘들게 만들었던 것은 나의 생각 느낌들이었다. 실제로 사람들은 그렇게 생각하지 않는데 내가 이럴 것이다 저럴 것이다 하는 것들 말이다. 어찌 보면 그것이 그 사람에 대한 잣대가 되고 판단이 되는 것이기에 좋지 않은 것인데도 말이다.

　　나는 두려움과 우울 불안의 감정을 가장 많이 느끼므로 그것이 내 친구처럼 느껴지기도 했었다. 우울하고 불안하면 당연한 것이고 그렇지 않으면 오히려 더 불안했다. 하지만 그 생각들 모두 내가 만들어낸 것이었다. 나는 내 망상 속에서 내 환상 속에서 세상을 살아간 것이었다. 내가 지금 사회공포증이 좋아지게 된 것도 사람들을 만날 수 없는 환경 속에 피하지 않고 나를 던져서도 있겠지만 사람들이 나에게 관심이 없다는 것을 어느 순간 깨달았기 때문인 것 같다.

사람들은 각자의 인생 속에서 본인이 두려워하는 것들 속에서 살아가느라 실은 너무나도 바쁘고 누구를 신경 쓸 수 없는 상태이다. 그런 사람들이 나에 대해서 자세하게 생각할 시간이 언제 있겠는가! 누군가가 나를 계속해서 신경 쓰고 괴롭히는 사람이 있다면 그건 나에게 관심이 있는 사람으로 보아야한다. 실제로 사람들은 다 자신에게만 관심이 있으므로.

나를 돌아보게 되면 나의 시선은 항상 다른 사람들에게 있었던 것 같다. 누가 나를 어떻게 생각할까. 이렇게 비난하지는 않을까하면서, 하지만 정작 나와 똑같이 생긴 나라는 존재가 매일 나를 따라다니며 나를 비난했던 것이었고 내 앞에서 대놓고 나를 비난한 사람은 손에 꼽았다. 그건 내가 정말 잘못했을 때였다. 그렇게 남의 시선을 신경 쓸 시간에 나에 대해서 신경을 쓰고 나에게 더 사랑을 주었다면 나는 더 달라질 수 있었을까 생각을 해 본다.

항상 다른 사람들에게 시선이 머물러 있는 사람은 행복하지 못하다. 끊임없이 사람들의 반응을 걱정하고 비교하고 살아가므로.

반대로 시선이 항상 자신에게 머물러 있는 사람은 자신을 돌볼 줄 알고 자신의 감정에 대해 생각하는 사람이다. 다른 사람을 먼저 생각하기 전에 나를 먼저 돌아보고 나에게 관심과 사랑을 주자. 이 무섭고 힘든 세상을 살아가는 건 다름 아닌 나 자신이니까.

두려움은 이렇게

두려움은 실체가 없는 것

누군가는 나에게 내가 겪어온 것들이 생각한 것들이 뭐가 무섭다는 건지 이해가 안 된다고 이야기를 할지도 모르겠다. 하지만 누구에게나 다 두려운 것들이 있다. 그것이 공포증이라는 이름으로 나타날 수도 있고 또 아무도 모르는 미래가 될 수도 있다. 내가 말하고자 하는 것은 누구나 무섭고 두려울 수 있다는 것이다.

하지만 한 살 한 살 나이를 먹게 되고 사회적 위치가 생기게 되면 사람들은 그 두려움을 숨기고 괜찮은 척 하려고 하는 경향이 있는 것 같다.

숨겨도 괜찮으면 괜찮다고 할 수 있지만 하지만 결국 그게 나를 아프게 하고 곪게 하는 것이 되기 때문에 내 스스로에게는 먼저 솔직해져야 하고 가능하다면 내가 정말 사랑하는 사람들에게는 말을 해서 두려움을 줄이고 해결 방법에 대한 조언을 듣는 것도 도움이 될 것이다.

두려움은 참 무서운 것이 실체가 없다. 만들기도 내가 만들어낸 것이므로 없애는 것도 내가 오직 나만이 할 수 있다. 너무 무섭고 두려울 때는 누군가가 대신 해주기를 바랄 때도 있을 것이다. 하지만 이 두려움은 내가 만든 것이므로 내가 맞서 싸워서 없애야만 한다.

두려움은 끝을 모르고 계속해서 커진다. 계속해서 커지게 되면 어느 순간 나를 집어삼킬 것 같지만 실제로는 그러지 못한다. 그러니 그 두려움 때문에 내 삶을 포기한다면 그것만큼 안타까운 건 없을 것이다. 두려움은 잠시 잠깐이다.

나에게 말로 힘들게 하는 직장 상사가 있다고 생각해보자. 나는 그것 때문에 출근하기가 힘들고 회사에 있는 것이 고통스럽다 하지만 회사를 그만둘 수가 없다. 그 사람이 두렵고 그 사람 입에서 나오는 말이 두렵다고 가정해보자.

나는 그 사람의 말이 왜 두려울까? 그 사람의 말은 나의 몸을 해치지 못한다. 그 입에서 나오는 말은 잠시잠깐의 말뿐이다. 그 시선도 행동도 나를 죽이지는 못한다. 그런데 무엇이 두려운가? 퇴근하고서도 그 사람의 말을 생각하며 두려움을 키워나가기 때문이다. 그렇게 되면 다음날 출근하기 힘들 정도로 그 두려움은 커져서 나를 잡아먹게 된다.

나는 앞서 말한 것처럼 일을 그만두게 되었을 때 혹시나 전의 회사사람을 마주치면 어떡하나 생각을 많이 했다. 마주치게 되면 '나를 싫어하겠지 욕하겠지' 혼자 갖은 생각들을 하였다. 하지만 실제로는 아무 일도 일어나지 않았다. 내가 그 근처를 갈일도 없었거니와 그 사람들은 자기 일상을 살기에 바빠서 나는 자연스럽게 잊히는 사람이 되었다. 시간이 지나면 해결되는 것이다.

사람들이 무조건 나를 부정적으로 평가한다는 생각은 나의 생각이다. 나도 사람이기에 내가 그렇듯이 이유 없이 좋은 사람이 있는가 하면 이유 없이 싫은 사람이 있다 내가 이유 없이 싫은 사람이 될 수도 있지만 누군가에게 이유 없이 좋은 사람이 될 수도 있는 것이다. 누구에게나 장점과 단점이 있다. 그러므로 모두가 공평하다. 그렇다면 두려울 것이 없는 것이다.

그냥 놔둔다고 해서 나아지지 않는다

　나는 직장을 새로 또 다니게 되는 것이 너무나 두려웠지만 경제적 어려움이라는 위기가 찾아오자 결국 새로운 직장을 구해 일을 다니게 되었다. 지난번 직장에서 사람들과 부딪히는 일들이 힘들었기 때문에 최대한 사람을 덜 만나고 반복적인 일만을 할 수 있는 직장을 구했다. 그래서 사람들에게서 오는 스트레스는 적었지만 원래 가지고 있던 우울증 때문인지 번아웃이 오며 무기력증이 심하게 왔고 잠을 자도 매일같이 잠이 쏟아졌다.

　출근길과 퇴근길 운전을 할 때마다 항상 피곤했다. 너무 피곤한 어느 날 나도 모르게 졸면서 운전을 했었는데 그 때 다리 위를 달리면서 들었던 생각이 '이대로 오른쪽으로 꺾어서 다리위로 뛰어들어도 괜찮지 않을까? 편안하지 않을까?'였다.

지금 돌이켜 보면 너무나도 위험한 생각이자 상황이었던 것 같다. 하지만 그 당시에는 위험하다는 생각조차 들지 않을 정도로 상태가 좋지 않았다.

우연한 계기로 언니와 만나 이야기를 하면서 그 때 있었던 일을 얘기하게 되었고 나에게 너무 심각한 것 같다 병원을 가면 좋겠다고 이야기를 했다. 처음에는 그 이야기를 듣지 않았지만 갈수록 심각해져 가는 내 모습을 보고는 언니와 같이 병원을 가게 되었다. 이제까지 혼자서 책을 읽고 인터넷을 찾아보며 이겨냈던 것들이 있었는데 결국 혼자서는 이겨낼 수 없구나하는 생각도 들면서 한편으로는 누군가가 병원에 가자고 할 때까지 나는 병원에 가지 못했구나 하는 여러 가지 생각이 들었다.

그렇게 병원에 가게 되었을 그 때 내 나이가 28살이었다. 나는 그 때 처음으로 병원을 가서 우울증 테스트를 해보고 우울증의 정도가 중증이라는 것을 진단받게 되었고 불안장애와 사회공포증도 진단을 받았다. 지금은 그 때 이후로 꾸준히 병원을 다니며 약물을 복용하고 있다.

처음 약을 먹었을 때 부작용이 있다고 했던 의사선생님의 말씀처럼 정말 약을 먹으면 잠이 쏟아지고 멍해지고 아무런 감정이 느껴지지 않았다. 이후 약이 잘 듣기 시작했고 약을 먹으면 불안의 정도가 많이 사라지게 되었다. 하지만 내가 괜찮다고 생각하며 약을 끊으면 다시 상태가 안 좋아지기 시작했다. 나는 이렇게 약에 의존해서 살 수 밖에 없는 것인지 우울해지게 되었다.

나에게 있어 언니는 정말 멘토이자 많은 도움을 준 사람이다. 가족이라는 이름으로 함께 살았지만 멀다고만 생각했던 언니가 내가 도움의 손을 내밀자 적극적으로 나를 도와주었다. 내가 어느 날은 언니에게 '언니 나는 약물에 의존해서 살아야하는 사람일까'라고 했을 때 언니는 '의존해서 사는 게 아니라 도움을 받는 거지 약을 끊기 위해서 노력해봐 언제까지 약을 먹으면서 살지는 않을 거 아니야' 라고 말을 해주었던 것이 기억이 난다.

이렇게 마음의 병을 앓고 있는 사람에게는 정말 자신을 이해해주는 가족들이 주변 사람들이 중요한 것 같다고 느껴진다.

하지만 내 감정을 쏟아내고 들어주길 바라는 생각으로 주변사람들을 감정 쓰레기통으로 이용해서는 절대 안 된다.

　　나는 나처럼 아픈 사람들을 본다. 주변에 있는 사람들 중에 행동하는 것을 보면 저 사람이 병원에 가지는 않았지만 아픈지 아프지 않은지가 보인다. 그 중에 주변 사람들을 감정 쓰레기통으로 이용하는 사람은 아픈 사람에 해당하는 것으로 본다. 감정을 그렇게 쏟아내면 해소된 것처럼 느껴지지만 다른 사람에게 짐을 지운 것과 같고 그 행동은 계속해서 반복하게 되어서 주변 사람들을 떠나가게 만들어 결국은 외로운 사람이 되어 우울함 속에 빠지게 되는 것이다.

　　감정은 풍선과도 같다 감정은 덮어두고 모르는 척 한다고 사라지지 않고 계속 부풀고 부풀어 쌓아두면 언젠가는 터지게 된다. 이런 감정이 처음 들었을 때 쌓이게 내버려 두지 않고 인식하며 건강하게 해소하는 것이 중요하다.

그리고 지금, 현재

매일같이 도망치는 삶

나는 그 이후 어떻게 되었을까? 병원을 다니며 약물 치료를 받았고 지금도 받고 있지만 그 회사는 결국 퇴사를 하게 되었다. 그 당시 너무 힘들어서 주변과의 연락도 다 끊게 되었다. 그럼 지금의 나의 모습은 어떨까? 지금도 나는 매일 도망친다. 주변의 연락으로부터 해야 하는 일로부터 도망친다. 하지만 도망치는 삶은 나아질 수 없다는 것을 잘 안다.

책을 쓰는 지금도 나는 두렵다. 이 책이 세상에 나간다는 것이 너무나도 두렵다. 사람들에게 평가 받는 것을 두려워하는 것이 사회공포증이기 때문에 사람들의 시선과 평가가 두렵다. 하지만 아무것도 하지 않으면 아무것도 달라지는 것은 없다. 두려움에 맞서 싸우지 않으면 두려움에 잠식이 된다. 그리고 나는 두려움 그 자체가 된다.

누구나 사람들 앞에 나서는 것을 두려워한다. 그것은 나만 그런 것이 아니다. 나만 그렇다고 생각하는 것은 내가 만든 착각이며 내가 만든 세계 속에 사는 것과 같은 것이다. 그 세상 속에서 나와서 진짜 세상을 마주해야 한다. 각자 살아가기 바쁜 세상은 나에게는 그렇게 관심이 있지 않다.

이전에 나는 사람들을 만나기 힘들었던 이유가 만나고 나서 집에 돌아올 때 그들이 했던 말을 곱씹었기 때문이다. 하지만 지금 생각해보면 그건 너무나 큰 시간 낭비였다. 나에 대해서 생각하기에도 하루는 짧은 시간이기 때문이다. 하루 동안에 있어지고 벌어질 일들을 다 상상하고 산다는 것은 너무나 큰 시간낭비이자 힘든 일이다. 결국 그렇게 내가 만든 환상과 망상이 나를 더 두렵게 하는 것이다. 현실을 마주하기 두려워서 미리 생각했던 것이지만 결국은 진짜 현실을 마주해야 한다는 것이다. 실제 현실은 그렇게 두렵지만은 않다. 왜냐하면 그러한 것들도 결국 지나갈 것이기 때문이다. 결국 모든 것은 한순간에 불과하다.

내 주변에는 어릴 적 발표를 하다가 친구들에게 망신을 당해 발표공포증을 가진 사람이 있다. 그 사람은 발표를 하는 상황을 항상 피하려고만 하고 그럴 때마다 어릴 때 이런 일이 있어서 자신은 발표를 못하겠다고 한다. 그 사람은 발표 공포증의 두려움에서 나오지 못한 사람이다. 앞으로도 발표를 할 일이 있을 때마다 숨을 것이다.

누구나 그런 것이 하나쯤은 있다. 하지만 잘 생각해 보아야한다. 그건 어릴 적의 일이고 지금의 나는 그 때 어린 아이와 같은 사람인가 하는 것이다. 또 그 때처럼 망신을 당할 것이라는 것은 내가 만든 상상일 뿐이다. 망신을 당한다는 보장은 어디에도 없다. 칭찬을 받을 가능성도 있는 것이다. 하지만 내가 그것을 계속해서 피한다면 나는 평생 발표를 두려워하는 사람이 되는 것이다.

하지만 도망쳐도 된다. 발표를 안 한다고 해서 삶에 지장이 가지는 않는다. 피할 수 있으면 피하는 것도 방법이다. 하지만 삶은 피할 수 없는 일들도 생기는 것이 삶이자 인생이다 두렵다고 항상 피할 것인가?

우리는 운동선수처럼 인간의 한계에 도전한 사람들을 대단하다고 생각하며 존경해한다. 왜 그런 것일까? 그들은 같은 상황 속에서도 두려움을 이기고 한계에 도전했으며 그것을 이겨냈고 극복한 사람들이기 때문이다. 우리도 자신들이 만들어낸 두려움과 싸워 이길 수 있다. 내가 생각하는 한계에 도전해서 극복해보고 이겨나갈 수 있다. 누구에게나 두려운 것은 있고 그것은 공평하다. 두려움에 나이가 적고 많고는 상관이 없다.

피할 수 있다면 다른 방법을 찾아 피하자 싸워서 이길 수 있다면 맞서 싸우자고 말이다. 가장 중요한 것은 포기만은 하지 말자. 나는 이것밖에 안 되는 사람이라고 포기만은 하지 말자. 나는 두려워서 아무것도 할 수 없는 사람이라고 자기 합리화만 하지말자. 두렵다는 것을 있는 그대로 인정하고 나를 비난할 것 같은 사람이 아닌 나에게 정말 도움을 줄 수 있는 사람에게 나의 약점을 있는 힘껏 드러내고 도와달라고 요청해서 함께 극복해가자 우리는 모두 연약하고 나약하다 의지하고 또 의지해서 살아가자.

매일하루 나와의 싸움

완벽주의가 없으면 나는 두려움이 더 적을 텐데 하는 생각을 가진 적이 있다. 무엇이든 완벽주의가 자신을 힘들게 한다는 것은 사실이다. 사람은 누구나 실패할 때가 있다. 그런데 완벽주의는 그 실패를 잘 받아들이지 못한다.

나는 실패하면서도 매일을 계획하고 사는데 가장 작은 계획이 내일은 몇 시에 일어나야지 하는 것이다. 하지만 그 다음날 그 시간에 일어나지 못한다. 약속시간에 늦게 일어날 때면 연락하고 나가기가 무서워진다. 상대방의 반응이 어떨까 계속해서 걱정하면서 시간이 계속 흐른다. 시간이 흐르면서 그 두려움은 결국 커지고 나가기가 힘들어지게 된다. 그 다음 연락했을 때는 이미 늦은 시간과 상태일 때가 많다.

사람들의 생각은 저마다 다를 수 있는데 내 생각이 사람들에 대한 오해를 만들게 된다. 두려워도 결국은 부딪히는 것이 중요하다.

매일 하루 나와 싸우자. 이 싸움은 져도 되는 싸움이다. 나와의 싸움이므로 승자와 패자가 없다. 이기면 잘했다고 칭찬해주고 졌으면 내일 더 잘해보자고 다독여주자. 내가 너무 좋아서 매일 싸우는 거라고 얘기해주자. 더 나아지고 좋아지고 싶은 마음에서 그러는 것이라고.

나는 이 책을 통해 어른들에게 말하고 싶다. 두려워해도 괜찮고 도망쳐도 괜찮다고 하지만 포기하지만 말자고 두려운 모든 것을 끊어내야 살 수 있는 것은 아니라고 매일을 두려워하고 매일을 불안해도 살아갈 수 있고 그래도 된다고 우리 모두는 한치 앞도 내다볼 수 없기 때문에 매일 매순간 두려울 수밖에 없는 거라고 말이다. 내일 있어질 시험이, 면접이, 출근이, 사람 만나는 것이 두려운가? 두려워해도 된다. 맘껏 두려워하고 그 두려움을 원동력 삼자.

나는 이제는 출근하는 것이 두렵다 새로운 일을 시작하기가 무섭다 그러면 어떻게 해야 할까? 출근을 하지 않으면 된다. 그래서 나의 사업을 시작하자고 생각했고 지금은 매일 출근하지 않고 내가 좋아하는 일을 해나가고 있다.

　당신도 지금 하는 일이 두렵다면 방향을 틀어보자. 집 안의 상황이 나를 무섭게 하고 두렵게 만든다면 여건을 만들어 집을 나와 보자. 친구들 만나는 게 두렵다면 혼자서 할 수 있는 일을 찾아보자. 다니는 회사가 너무 힘들다면 새로운 일을 찾아 이직을 준비해보자. 그것마저 두렵다면 잠시 모든 걸 내려놓고 쉬어보자.

두려움을 느끼는 당신은 누구보다 당당하고 건강하고 해낼 수 있는 사람이다. 도망칠 순 있지만 도망친다고 달라지는 것은 없다. 해야 할 일들은 언제든 닥쳐온다. 그러니 도망쳐도 다시 돌아와야만 한다. 돌아오면 끝나있는 것이 아니다. 다시 시작할 수 있다. 다시 시작하는 게 어려울 수 있겠지만 다시 한 번 도전해 볼 수 있다. 혼자가 어렵다면 나를 도와주고 함께해 줄 수 있는 사람을 찾아보자. 그 사람은 멀리 있지 않을 것이다.

세상이 무섭고 두려운가? 세상은 나를 무서워하지 않는다. 다만 내가 무서워 할 뿐이다.